만점왕 알파북
계산편

5-2

본 알파북은 **수학 학습내용 이해**에
도움이 될 만한 **계산력** 문제로 구성하였습니다.
이번 학기 교과서 구성과도 꼭 맞는
만점왕 알파북 계산편으로
수학 실력의 밑바탕을 다져 보세요!

차례 5-2

1 수의 범위와 어림하기

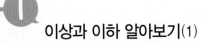

※ 표를 보고 다음을 모두 구해 보세요.

1 수아네 반 학생들의 몸무게

이름	수아	태준	지희	정후	민주
몸무게 (kg)	38.6	40.0	46.5	39.8	45.0

몸무게가 40 kg 이상인 학생의 몸무게

➡ ( )

2 준호네 반 학생들의 키

이름	준호	효영	준영	설희	진우
키(cm)	145.2	150.5	147.2	148.0	156.0

키가 150 cm 이상인 학생의 키

➡ ( )

3 진수네 반 학생들의 100 m 달리기 기록

이름	진수	윤영	준기	효빈	정빈
기록(초)	17.5	19.0	18.0	20.5	17.0

100 m 달리기 기록이 18초 이하인 학생의 기록

➡ ( )

4 과수원별 사과 생산량

과수원	가	나	다	라	마
생산량 (상자)	128	131	139	135	136

사과 생산량이 135상자 이하인 과수원의 사과 생산량

➡ ( )

※ 주어진 수의 범위에 포함되는 수를 모두 찾아 써 보세요.

5 6 이상인 수

| 1 | 2 | 3 | 4 | 5 | 6 | 7 | 8 |

( )

6 18 이상인 수

| 15 | 16 | 17 | 18 | 19 | 20 | 21 | 22 |

( )

7 52 이상인 수

| 47 | 48 | 49 | 50 | 51 | 52 | 53 | 54 |

( )

8 9 이하인 수

| 6 | 7 | 8 | 9 | 10 | 11 | 12 | 13 |

( )

9 72 이하인 수

| 68 | 69 | 70 | 71 | 72 | 73 | 74 | 75 |

( )

✳ 주어진 수의 범위에 포함되는 수에 표시해 보세요.

1 27 이상인 수에 ◯표, 27 이하인 수에 △표

16	21	33	65
70	8	27	26

2 35 이상인 수에 ◯표, 35 이하인 수에 △표

11	32	29	87
41	35	7	66

3 49 이상인 수에 ◯표, 49 이하인 수에 △표

5	48	91	49
13	56	37	62

4 92 이상인 수에 ◯표, 92 이하인 수에 △표

14	99	92	60
79	2	51	84

✳ 수직선에 나타내어 보세요.

5 5 이상인 수

6 24 이상인 수

7 65 이상인 수

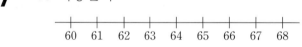

8 14 이하인 수

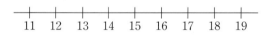

9 37 이하인 수

10 52 이하인 수

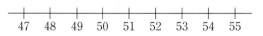

🌼 표를 보고 다음을 모두 구해 보세요.

1

효영이네 반 학생들의 윗몸 일으키기 기록

이름	효영	준혁	세준	윤하	규영
횟수(회)	50	49	53	61	59

윗몸 일으키기 기록이 53회 초과인 학생의 기록

➡ (   )

2

민호의 과목별 단원 평가 점수

과목	국어	수학	사회	과학
점수(점)	84	80	78	92

단원 평가 점수가 80점 초과인 과목의 점수

➡ (   )

3

유경이네 반 학생들의 왕복 오래달리기 기록

이름	유경	범수	민호	정현	수현
횟수(회)	75	67	70	78	69

왕복 오래달리기 기록이 75회 미만인 학생의 기록

➡ (   )

4

수지네 반 학생들이 2분 동안 넘은 줄넘기 기록

이름	수지	시현	호준	성규	지영
횟수(회)	110	128	130	119	131

줄넘기 기록이 130회 미만인 학생의 기록

➡ (   )

🌼 주어진 수의 범위에 포함되는 수를 모두 찾아 써 보세요.

5 4 초과인 수

2	3	4	5	6	7	8	9

(   )

6 32 초과인 수

29	30	31	32	33	34	35	36

(   )

7 64 초과인 수

60	61	62	63	64	65	66	67

(   )

8 8 미만인 수

5	6	7	8	9	10	11	12

(   )

9 27 미만인 수

23	24	25	26	27	28	29	30

(   )

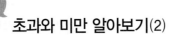

※ 주어진 수의 범위에 포함되는 수에 표시해 보세요.

1 19 초과인 수에 ○표, 19 미만인 수에 △표

2	20	19	61
98	56	33	17

2 28 초과인 수에 ○표, 28 미만인 수에 △표

10	47	30	28
55	9	29	69

3 51 초과인 수에 ○표, 51 미만인 수에 △표

18	38	75	42
80	59	51	53

4 77 초과인 수에 ○표, 77 미만인 수에 △표

13	41	79	97
77	20	83	55

※ 수직선에 나타내어 보세요.

5 11 초과인 수

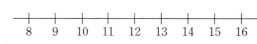

6 29 초과인 수

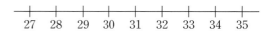

7 83 초과인 수

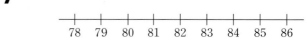

8 17 미만인 수

9 44 미만인 수

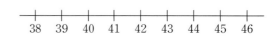

10 95 미만인 수

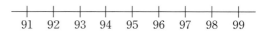

✳ 주어진 수의 범위에 포함되는 수를 모두 찾아 써 보세요.

1 3 이상 7 이하인 수

| 1 | 2 | 3 | 4 | 5 | 6 | 7 | 8 |

( )

2 16 이상 21 이하인 수

| 15 | 16 | 17 | 18 | 19 | 20 | 21 | 22 |

( )

3 27 이상 31 미만인 수

| 25 | 26 | 27 | 28 | 29 | 30 | 31 | 32 |

( )

4 48 초과 53 이하인 수

| 47 | 48 | 49 | 50 | 51 | 52 | 53 | 54 |

( )

5 61 초과 65 미만인 수

| 59 | 60 | 61 | 62 | 63 | 64 | 65 | 66 |

( )

✳ 수직선에 나타내어 보세요.

6 19 이상 22 이하인 수

17 18 19 20 21 22 23 24 25

7 24 이상 28 미만인 수

22 23 24 25 26 27 28 29 30

8 37 이상 40 미만인 수

35 36 37 38 39 40 41 42 43

9 50 초과 54 이하인 수

50 51 52 53 54 55 56 57 58

10 78 초과 80 미만인 수

75 76 77 78 79 80 81 82 83

11 95 초과 99 미만인 수

92 93 94 95 96 97 98 99 100

※ 올림하여 주어진 자리까지 나타내어 보세요.

1
183

십의 자리	백의 자리

2
429

십의 자리	백의 자리

3
2154

십의 자리	백의 자리	천의 자리

4
6305

십의 자리	백의 자리	천의 자리

5
1.724

소수 첫째 자리	소수 둘째 자리

6
8.651

소수 첫째 자리	소수 둘째 자리

※ 어림한 후, 어림한 수의 크기를 비교하여 ○ 안에 >, =, <를 알맞게 써넣으세요.

7
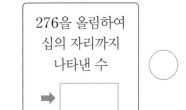

276을 올림하여 십의 자리까지 나타낸 수

➡ [　　　]

○

258을 올림하여 백의 자리까지 나타낸 수

➡ [　　　]

8
372를 올림하여 백의 자리까지 나타낸 수

➡ [　　　]

○

388을 올림하여 십의 자리까지 나타낸 수

➡ [　　　]

9
4108을 올림하여 천의 자리까지 나타낸 수

➡ [　　　]

○

4211을 올림하여 십의 자리까지 나타낸 수

➡ [　　　]

10
8307을 올림하여 백의 자리까지 나타낸 수

➡ [　　　]

○

7294를 올림하여 천의 자리까지 나타낸 수

➡ [　　　]

✳ 버림하여 주어진 자리까지 나타내어 보세요.

1

164

십의 자리	백의 자리

2

517

십의 자리	백의 자리

3

3961

십의 자리	백의 자리	천의 자리

4

5803

십의 자리	백의 자리	천의 자리

5

3.615

소수 첫째 자리	소수 둘째 자리

6

7.293

소수 첫째 자리	소수 둘째 자리

✳ 어림한 후, 어림한 수의 크기를 비교하여 ○ 안에 >, =, <를 알맞게 써넣으세요.

7

212를 버림하여 십의 자리까지 나타낸 수
➡ ☐

○

294를 버림하여 백의 자리까지 나타낸 수
➡ ☐

8

731을 버림하여 백의 자리까지 나타낸 수
➡ ☐

○

744를 버림하여 십의 자리까지 나타낸 수
➡ ☐

9

3609를 버림하여 천의 자리까지 나타낸 수
➡ ☐

○

3554를 버림하여 십의 자리까지 나타낸 수
➡ ☐

10

9367을 버림하여 백의 자리까지 나타낸 수
➡ ☐

○

9421을 버림하여 천의 자리까지 나타낸 수
➡ ☐

🌸 반올림하여 주어진 자리까지 나타내어 보세요.

1

165

십의 자리	백의 자리

2

337

십의 자리	백의 자리

3

5862

십의 자리	백의 자리	천의 자리

4

8906

십의 자리	백의 자리	천의 자리

5

2.743

소수 첫째 자리	소수 둘째 자리

6

5.284

소수 첫째 자리	소수 둘째 자리

🌸 어림한 후, 어림한 수의 크기를 비교하여 ○ 안에 >, =, <를 알맞게 써넣으세요.

7

418을 반올림하여 십의 자리까지 나타낸 수 ➡ [ ] ○ 421을 반올림하여 백의 자리까지 나타낸 수 ➡ [ ]

8

654를 반올림하여 백의 자리까지 나타낸 수 ➡ [ ] ○ 673을 반올림하여 십의 자리까지 나타낸 수 ➡ [ ]

9

1307을 반올림하여 천의 자리까지 나타낸 수 ➡ [ ] ○ 1168을 반올림하여 십의 자리까지 나타낸 수 ➡ [ ]

10

5169를 반올림하여 백의 자리까지 나타낸 수 ➡ [ ] ○ 5432를 반올림하여 천의 자리까지 나타낸 수 ➡ [ ]

1 초콜릿이 한 상자에 10개씩 들어 있습니다. 지유네 반 학생 32명에게 초콜릿을 한 개씩 나누어 주려면 초콜릿은 최소 몇 상자 사야 하는지 구하려고 합니다. ☐ 안에 알맞은 수를 써넣으세요.

> 10개씩 3상자이면 ☐ 개이므로 ☐ 개가 모자랍니다. 따라서 최소 ☐ 상자 사야 합니다.

2 학생 227명에게 공책을 한 권씩 나누어 주려고 합니다. 공책을 100권씩 묶음으로 판매할 때 공책은 최소 몇 권 사야 하는지 구해 보세요.

( )

3 복숭아 539상자를 트럭에 모두 실으려고 합니다. 트럭 한 대에 100상자씩 실을 수 있을 때 트럭은 최소 몇 대 필요한지 구해 보세요.

( )

4 수빈이는 돼지 저금통에 모은 동전 32150원을 1000원짜리 지폐로 바꾸려고 합니다. 최대 얼마까지 바꿀 수 있는지 구해 보세요.

( )

5 농장에서 감자를 421 kg 캤습니다. 한 상자에 10 kg씩 담아서 판다면 감자는 최대 몇 상자까지 팔 수 있는지 구해 보세요.

( )

6 민준이의 몸무게는 54.6 kg입니다. 민준이의 몸무게를 반올림하여 일의 자리까지 나타내어 보세요.

( )

7 준호네 모둠 친구들의 50 m 달리기 기록을 나타낸 표입니다. 걸린 시간을 반올림하여 일의 자리까지 나타내어 보세요.

준호네 모둠 친구들의 50 m 달리기 기록

이름	준호	지윤	성훈	지우	민영
걸린 시간 (초)	8.7	9.2	8.9	10.5	9.6
반올림한 시간(초)					

8 어느 마을의 인구는 43218명입니다. 이 마을의 인구를 반올림하여 백의 자리까지 나타내어 보세요.

( )

2 분수의 곱셈

❋ **보기** 와 같이 여러 가지 방법으로 계산해 보세요.

보기

방법 1 $\dfrac{7}{12} \times 6 = \dfrac{7 \times 6}{12} = \dfrac{\overset{7}{\cancel{42}}}{\underset{2}{\cancel{12}}} = \dfrac{7}{2} = 3\dfrac{1}{2}$

방법 2 $\dfrac{7}{12} \times 6 = \dfrac{7 \times \overset{1}{\cancel{6}}}{\underset{2}{\cancel{12}}} = \dfrac{7}{2} = 3\dfrac{1}{2}$

방법 3 $\dfrac{7}{\underset{2}{\cancel{12}}} \times \overset{1}{\cancel{6}} = \dfrac{7}{2} = 3\dfrac{1}{2}$

1 방법 1 $\dfrac{5}{8} \times 2 = $ _____

방법 2 $\dfrac{5}{8} \times 2 = $ _____

방법 3 $\dfrac{5}{8} \times 2 = $ _____

2 방법 1 $\dfrac{2}{9} \times 6 = $ _____

방법 2 $\dfrac{2}{9} \times 6 = $ _____

방법 3 $\dfrac{2}{9} \times 6 = $ _____

3 방법 1 $\dfrac{11}{15} \times 5 = $ _____

방법 2 $\dfrac{11}{15} \times 5 = $ _____

방법 3 $\dfrac{11}{15} \times 5 = $ _____

❋ 계산해 보세요.

4 $\dfrac{9}{10} \times 5$

5 $\dfrac{15}{16} \times 4$

6 $\dfrac{13}{21} \times 7$

7 $\dfrac{7}{24} \times 10$

8 $\dfrac{8}{35} \times 7$

9 $\dfrac{5}{36} \times 9$

10 $\dfrac{27}{40} \times 16$

11 $\dfrac{19}{54} \times 12$

❋ 보기 와 같이 여러 가지 방법으로 계산해 보세요.

보기

방법 1 $1\frac{3}{4} \times 2 = \frac{7}{4} \times 2 = \frac{7 \times \overset{1}{\cancel{2}}}{\underset{2}{\cancel{4}}} = \frac{7}{2} = 3\frac{1}{2}$

방법 2 $1\frac{3}{4} \times 2 = (1 \times 2) + \left(\frac{3}{\underset{2}{\cancel{4}}} \times \overset{1}{\cancel{2}} \right)$

$= 2 + \frac{3}{2} = 2 + 1\frac{1}{2} = 3\frac{1}{2}$

1 방법 1 $1\frac{1}{2} \times 3 =$ _____

방법 2 $1\frac{1}{2} \times 3 =$ _____

_____

2 방법 1 $2\frac{1}{6} \times 8 =$ _____

방법 2 $2\frac{1}{6} \times 8 =$ _____

_____

3 방법 1 $3\frac{3}{8} \times 6 =$ _____

방법 2 $3\frac{3}{8} \times 6 =$ _____

_____

❋ 계산해 보세요.

4 $1\frac{3}{5} \times 3$

5 $2\frac{2}{3} \times 5$

6 $1\frac{7}{9} \times 8$

7 $4\frac{1}{4} \times 10$

8 $1\frac{5}{6} \times 4$

9 $5\frac{1}{3} \times 4$

10 $6\frac{1}{8} \times 3$

11 $5\frac{4}{9} \times 6$

⬥ **보기** 와 같이 여러 가지 방법으로 계산해 보세요.

> **보기**
>
> **방법1** $4 \times \dfrac{5}{6} = \dfrac{4 \times 5}{6} = \dfrac{\overset{10}{\cancel{20}}}{\underset{3}{\cancel{6}}} = \dfrac{10}{3} = 3\dfrac{1}{3}$
>
> **방법2** $4 \times \dfrac{5}{6} = \dfrac{\overset{2}{\cancel{4}} \times 5}{\underset{3}{\cancel{6}}} = \dfrac{10}{3} = 3\dfrac{1}{3}$
>
> **방법3** $\overset{2}{\cancel{4}} \times \dfrac{5}{\underset{3}{\cancel{6}}} = \dfrac{10}{3} = 3\dfrac{1}{3}$

1 **방법1** $2 \times \dfrac{3}{4} =$ _____

  방법2 $2 \times \dfrac{3}{4} =$ _____

  방법3 $2 \times \dfrac{3}{4} =$ _____

2 **방법1** $6 \times \dfrac{2}{3} =$ _____

  방법2 $6 \times \dfrac{2}{3} =$ _____

  방법3 $6 \times \dfrac{2}{3} =$ _____

3 **방법1** $4 \times \dfrac{9}{10} =$ _____

  방법2 $4 \times \dfrac{9}{10} =$ _____

  방법3 $4 \times \dfrac{9}{10} =$ _____

⬥ 계산해 보세요.

4 $8 \times \dfrac{3}{4}$

5 $10 \times \dfrac{4}{5}$

6 $12 \times \dfrac{3}{10}$

7 $8 \times \dfrac{9}{14}$

8 $6 \times \dfrac{11}{20}$

9 $15 \times \dfrac{17}{24}$

10 $21 \times \dfrac{13}{28}$

11 $12 \times \dfrac{19}{30}$

※ **보기** 와 같이 여러 가지 방법으로 계산해 보세요.

보기

방법 1 $3 \times 1\frac{1}{6} = 3 \times \frac{7}{6} = \frac{\overset{1}{3} \times 7}{\underset{2}{6}} = \frac{7}{2} = 3\frac{1}{2}$

방법 2 $3 \times 1\frac{1}{6} = (3 \times 1) + \left(\overset{1}{3} \times \frac{1}{\underset{2}{6}}\right)$

$= 3 + \frac{1}{2} = 3\frac{1}{2}$

1 방법 1 $2 \times 1\frac{1}{4} = $ _____

방법 2 $2 \times 1\frac{1}{4} = $ _____

_____

2 방법 1 $6 \times 2\frac{7}{9} = $ _____

방법 2 $6 \times 2\frac{7}{9} = $ _____

_____

3 방법 1 $8 \times 2\frac{1}{10} = $ _____

방법 2 $8 \times 2\frac{1}{10} = $ _____

_____

※ 계산해 보세요.

4 $4 \times 2\frac{2}{3}$

5 $3 \times 1\frac{2}{7}$

6 $10 \times 2\frac{5}{6}$

7 $12 \times 1\frac{3}{8}$

8 $14 \times 3\frac{6}{7}$

9 $4 \times 3\frac{1}{5}$

10 $4 \times 1\frac{3}{16}$

11 $6 \times 2\frac{3}{14}$

❋ 계산해 보세요.

1 $\frac{1}{2} \times \frac{1}{2}$

2 $\frac{1}{2} \times \frac{1}{5}$

3 $\frac{1}{3} \times \frac{1}{4}$

4 $\frac{1}{6} \times \frac{1}{7}$

5 $\frac{1}{8} \times \frac{1}{9}$

6 $\frac{1}{5} \times \frac{1}{3}$

7 $\frac{1}{9} \times \frac{1}{7}$

8 $\frac{1}{11} \times \frac{1}{4}$

9 $\frac{1}{2} \times \frac{3}{7}$

10 $\frac{1}{3} \times \frac{5}{6}$

11 $\frac{1}{4} \times \frac{3}{8}$

12 $\frac{1}{5} \times \frac{4}{9}$

13 $\frac{1}{7} \times \frac{11}{12}$

14 $\frac{1}{8} \times \frac{3}{5}$

15 $\frac{1}{6} \times \frac{7}{10}$

16 $\frac{1}{12} \times \frac{5}{6}$

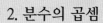
✸ 계산해 보세요.

1 $\dfrac{2}{3} \times \dfrac{2}{5}$

2 $\dfrac{3}{4} \times \dfrac{5}{6}$

3 $\dfrac{4}{7} \times \dfrac{3}{10}$

4 $\dfrac{5}{8} \times \dfrac{4}{9}$

5 $\dfrac{8}{9} \times \dfrac{3}{4}$

6 $\dfrac{3}{7} \times \dfrac{2}{9}$

7 $\dfrac{2}{5} \times \dfrac{7}{8}$

8 $\dfrac{2}{15} \times \dfrac{5}{11}$

9 $\dfrac{4}{5} \times \dfrac{7}{12}$

10 $\dfrac{9}{10} \times \dfrac{14}{15}$

11 $\dfrac{5}{6} \times \dfrac{9}{10}$

12 $\dfrac{5}{12} \times \dfrac{8}{15}$

13 $\dfrac{9}{14} \times \dfrac{7}{13}$

14 $\dfrac{9}{20} \times \dfrac{2}{3}$

15 $\dfrac{17}{24} \times \dfrac{8}{11}$

16 $\dfrac{5}{16} \times \dfrac{12}{17}$

🌸 빈칸에 알맞은 수를 써넣으세요.

1

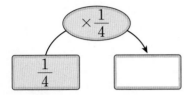

2

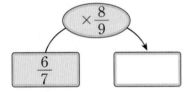

3

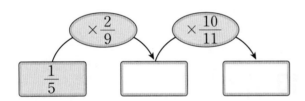

4

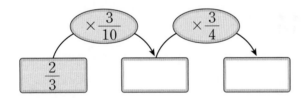

5

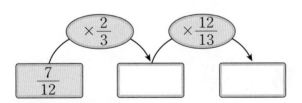

🌸 ◯ 안에 >, =, <를 알맞게 써넣으세요.

6 $\frac{1}{2}$ ◯ $\frac{1}{2} \times \frac{1}{3}$

7 $\frac{1}{6} \times \frac{1}{3}$ ◯ $\frac{1}{6}$

8 $\frac{4}{7} \times \frac{1}{5}$ ◯ $\frac{4}{7} \times \frac{1}{3}$

9 $\frac{5}{9} \times \frac{1}{6}$ ◯ $\frac{5}{9} \times \frac{1}{9}$

10 $\frac{1}{3} \times \frac{1}{7}$ ◯ $\frac{1}{8} \times \frac{1}{6}$

11 $\frac{1}{6} \times \frac{1}{6}$ ◯ $\frac{1}{5} \times \frac{1}{5}$

12 $\frac{7}{8} \times \frac{4}{11}$ ◯ $\frac{2}{5} \times \frac{10}{21}$

13 $\frac{7}{12} \times \frac{3}{5}$ ◯ $\frac{5}{6} \times \frac{2}{3}$

❋ 계산해 보세요.

1 $1\frac{1}{2} \times 1\frac{3}{4}$

2 $1\frac{2}{3} \times 2\frac{1}{4}$

3 $2\frac{2}{5} \times 2\frac{1}{6}$

4 $3\frac{1}{7} \times 1\frac{5}{8}$

5 $1\frac{3}{4} \times 1\frac{5}{14}$

6 $4\frac{1}{2} \times 2\frac{5}{12}$

7 $7\frac{1}{7} \times 4\frac{2}{3}$

8 $6\frac{2}{3} \times 2\frac{1}{5}$

9 $\frac{1}{2} \times \frac{1}{3} \times \frac{1}{5}$

10 $\frac{2}{3} \times \frac{4}{7} \times \frac{3}{4}$

11 $\frac{7}{8} \times \frac{2}{5} \times \frac{4}{21}$

12 $\frac{2}{7} \times \frac{8}{15} \times \frac{3}{8}$

13 $\frac{4}{9} \times \frac{7}{8} \times \frac{5}{7}$

14 $\frac{2}{3} \times \frac{9}{10} \times \frac{14}{15}$

15 $\frac{5}{6} \times \frac{3}{8} \times \frac{11}{20}$

16 $\frac{8}{9} \times \frac{9}{24} \times \frac{7}{16}$

✳ (분수)×(분수)의 계산 방법을 이용하여 계산하려고 합니다. □ 안에 알맞은 수를 써넣으세요.

1 $3 \times \dfrac{3}{4} = \dfrac{\boxed{}}{1} \times \dfrac{3}{4} = \dfrac{\boxed{} \times 3}{1 \times 4}$

$= \dfrac{\boxed{}}{\boxed{}} = \boxed{}$

2 $4 \times \dfrac{2}{7} = \dfrac{\boxed{}}{1} \times \dfrac{2}{7} = \dfrac{\boxed{} \times 2}{1 \times 7}$

$= \dfrac{\boxed{}}{\boxed{}} = \boxed{}$

3 $\dfrac{3}{5} \times 2 = \dfrac{3}{5} \times \dfrac{\boxed{}}{1} = \dfrac{3 \times \boxed{}}{5 \times 1}$

$= \dfrac{\boxed{}}{\boxed{}} = \boxed{}$

4 $\dfrac{7}{8} \times 5 = \dfrac{7}{8} \times \dfrac{\boxed{}}{1} = \dfrac{7 \times \boxed{}}{8 \times 1}$

$= \dfrac{\boxed{}}{\boxed{}} = \boxed{}$

5 $\dfrac{5}{9} \times 2 = \dfrac{5}{9} \times \dfrac{\boxed{}}{1} = \dfrac{5 \times \boxed{}}{9 \times 1}$

$= \dfrac{\boxed{}}{\boxed{}} = \boxed{}$

6 $\dfrac{5}{7} \times 1\dfrac{1}{8} = \dfrac{5}{7} \times \dfrac{\boxed{}}{8} = \dfrac{5 \times \boxed{}}{7 \times 8} = \boxed{}$

7 $\dfrac{3}{4} \times 2\dfrac{3}{5} = \dfrac{3}{4} \times \dfrac{\boxed{}}{5} = \dfrac{3 \times \boxed{}}{4 \times 5}$

$= \dfrac{\boxed{}}{\boxed{}} = \boxed{}$

8 $1\dfrac{1}{2} \times 1\dfrac{2}{5} = \dfrac{\boxed{}}{2} \times \dfrac{\boxed{}}{5} = \dfrac{\boxed{} \times \boxed{}}{2 \times 5}$

$= \dfrac{\boxed{}}{\boxed{}} = \boxed{}$

9 $3\dfrac{2}{3} \times 1\dfrac{3}{8} = \dfrac{\boxed{}}{3} \times \dfrac{\boxed{}}{8}$

$= \dfrac{\boxed{} \times \boxed{}}{3 \times 8} = \dfrac{\boxed{}}{\boxed{}}$

$= \boxed{}$

10 $2\dfrac{3}{5} \times 1\dfrac{1}{7} = \dfrac{\boxed{}}{5} \times \dfrac{\boxed{}}{7}$

$= \dfrac{\boxed{} \times \boxed{}}{5 \times 7} = \dfrac{\boxed{}}{\boxed{}}$

$= \boxed{}$

3 합동과 대칭

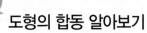

❋ 주어진 도형과 서로 합동인 도형을 찾아 기호를 써 보세요.

1

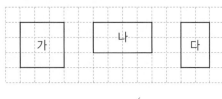

(   )

2

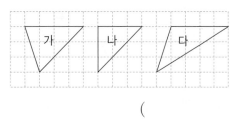

(   )

3

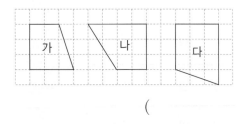

(   )

❋ 주어진 도형과 합동인 도형을 그려 보세요.

4

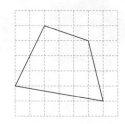 ➡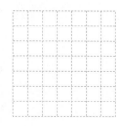

5

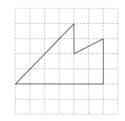 ➡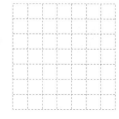

6

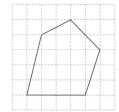 ➡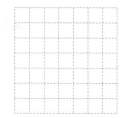

7

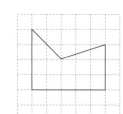 ➡

✹ 두 도형은 서로 합동입니다. 대응점, 대응변, 대응각을 각각 찾아 써 보세요.

1

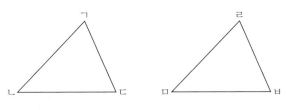

(1) 점 ㄴ의 대응점 ➡ (   )

(2) 변 ㄱㄴ의 대응변 ➡ (   )

(3) 각 ㄴㄱㄷ의 대응각 ➡ (   )

2

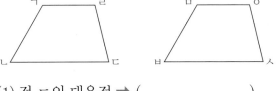

(1) 점 ㄷ의 대응점 ➡ (   )

(2) 변 ㄴㄷ의 대응변 ➡ (   )

(3) 각 ㄱㄹㄷ의 대응각 ➡ (   )

3

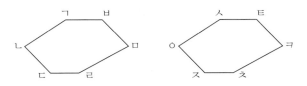

(1) 점 ㅂ의 대응점 ➡ (   )

(2) 변 ㅁㄹ의 대응변 ➡ (   )

(3) 각 ㄷㄹㅁ의 대응각 ➡ (   )

✹ 두 도형은 서로 합동입니다. 다음을 구해 보세요.

4

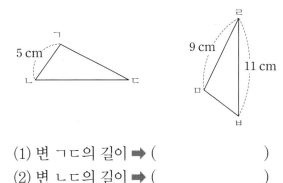

(1) 변 ㄱㄷ의 길이 ➡ (   )

(2) 변 ㄴㄷ의 길이 ➡ (   )

(3) 변 ㅁㅂ의 길이 ➡ (   )

5

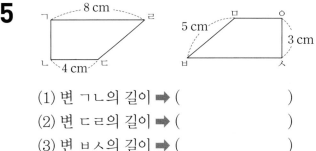

(1) 변 ㄱㄴ의 길이 ➡ (   )

(2) 변 ㄷㄹ의 길이 ➡ (   )

(3) 변 ㅂㅅ의 길이 ➡ (   )

6

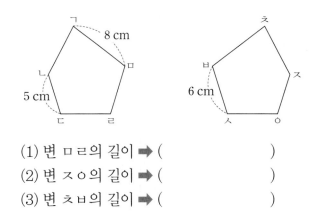

(1) 변 ㅁㄹ의 길이 ➡ (   )

(2) 변 ㅈㅇ의 길이 ➡ (   )

(3) 변 ㅊㅂ의 길이 ➡ (   )

❋ 두 도형은 서로 합동입니다. 다음을 구해 보세요.

1

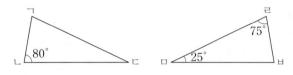

(1) 각 ㄴㄱㄷ의 크기 ➡ (　　　　　　)

(2) 각 ㄱㄷㄴ의 크기 ➡ (　　　　　　)

(3) 각 ㅁㅂㄹ의 크기 ➡ (　　　　　　)

2

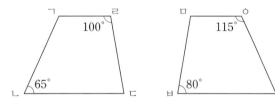

(1) 각 ㄴㄱㄹ의 크기 ➡ (　　　　　　)

(2) 각 ㄴㄷㄹ의 크기 ➡ (　　　　　　)

(3) 각 ㅇㅁㅂ의 크기 ➡ (　　　　　　)

3

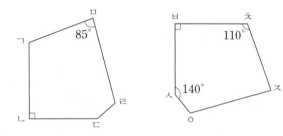

(1) 각 ㄴㄷㄹ의 크기 ➡ (　　　　　　)

(2) 각 ㄴㄱㅁ의 크기 ➡ (　　　　　　)

(3) 각 ㅊㅈㅇ의 크기 ➡ (　　　　　　)

❋ 두 도형은 서로 합동입니다. 다음을 구해 보세요.

4

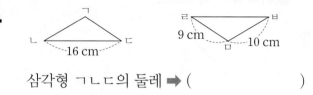

삼각형 ㄱㄴㄷ의 둘레 ➡ (　　　　　　)

5

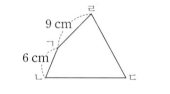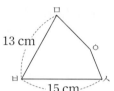

사각형 ㄱㄴㄷㄹ의 둘레 ➡ (　　　　　　)

6

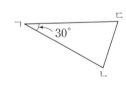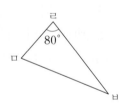

각 ㄱㄷㄴ의 크기 ➡ (　　　　　　)

7

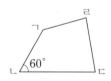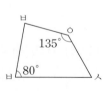

각 ㄱㄹㄷ의 크기 ➡ (　　　　　　)

✳ 선대칭도형인 것에 ○표, 선대칭도형이 <u>아닌</u> 것에 ×표 하세요.

✳ 다음 도형은 선대칭도형입니다. 대칭축을 모두 그려 보세요.

1
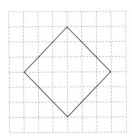
(   )

5
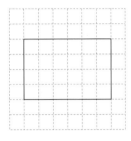

2
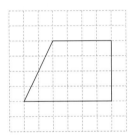
(   )

6
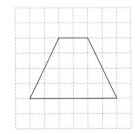

3
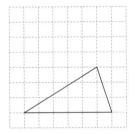
(   )

7
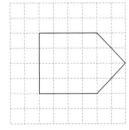

4
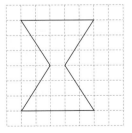
(   )

8
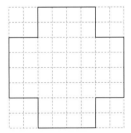

❋ 직선 ㄱㄴ을 대칭축으로 하는 선대칭도형입니다. □ 안에 알맞은 수를 써넣으세요.

❋ 직선 ㄱㄴ을 대칭축으로 하는 선대칭도형을 완성해 보세요.

1

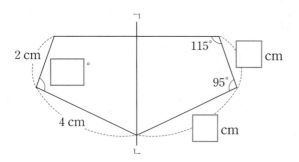

5

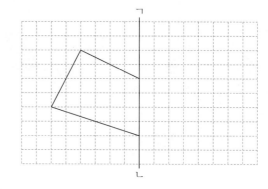

2

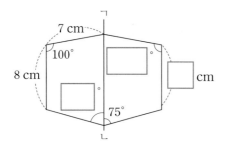

6

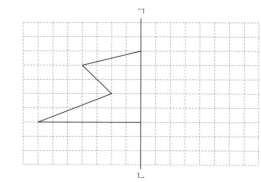

3

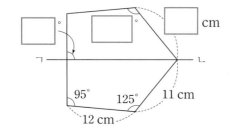

4

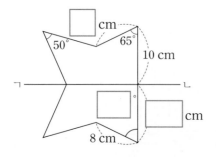

7

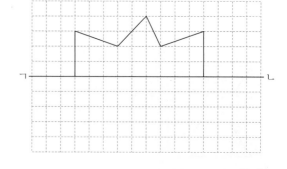

❋ 점대칭도형인 것에 ○표, 점대칭도형이 아닌 것에 ×표 하세요.

1

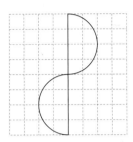

(   )

2

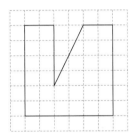

(   )

3

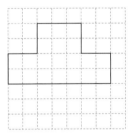

(   )

4

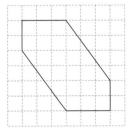

(   )

❋ 다음 도형은 점대칭도형입니다. 대칭의 중심을 찾아 표시해 보세요.

5

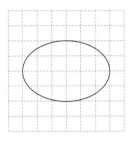

6

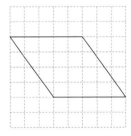

7

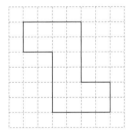

8

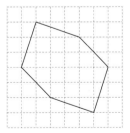

❈ 점 ㅇ을 대칭의 중심으로 하는 점대칭도형입니다.
□ 안에 알맞은 수를 써넣으세요.

❈ 점 ㅇ을 대칭의 중심으로 하는 점대칭도형을 완성해 보세요.

1

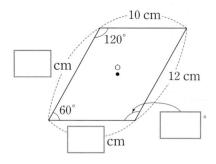

5

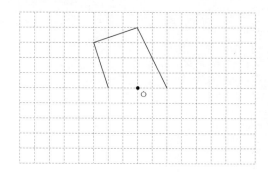

2

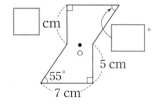

6

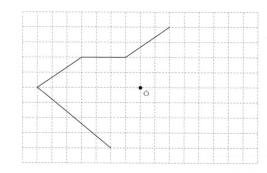

3

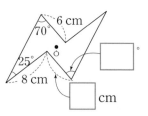

7

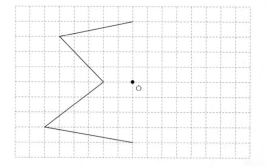

4

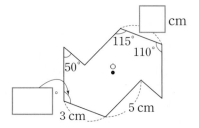

4 소수의 곱셈

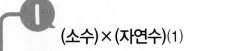

✳ **보기** 와 같은 방법으로 계산해 보세요.

> **보기**
>
> $$0.4 \times 2 = \frac{4}{10} \times 2 = \frac{4 \times 2}{10} = \frac{8}{10} = 0.8$$

1 0.2×3

2 0.5×7

3 0.4×6

4 0.9×8

5 0.12×4

6 0.52×7

7 0.65×3

✳ 계산해 보세요.

8 0.3×4

9 0.6×7

10 0.8×8

11 0.7×9

12 0.16×3

13 0.38×2

14 0.47×8

15 0.73×5

② (소수) × (자연수)(2)

❋ **보기**와 같은 방법으로 계산해 보세요.

> **보기**
>
> $$1.3 \times 3 = \frac{13}{10} \times 3 = \frac{13 \times 3}{10} = \frac{39}{10} = 3.9$$

1 2.7×2

2 3.5×9

3 5.4×7

4 7.9×5

5 1.15×4

6 2.43×3

7 5.38×6

❋ 계산해 보세요.

8 2.4×6

9 4.7×3

10 5.3×8

11 8.2×9

12 2.17×2

13 3.64×4

14 7.18×3

15 9.33×5

3 (자연수)×(소수)(1)

※ 보기 와 같은 방법으로 계산해 보세요.

보기

$$2 \times 0.7 = 2 \times \frac{7}{10} = \frac{2 \times 7}{10} = \frac{14}{10} = 1.4$$

1 4×0.5

2 6×0.3

3 12×0.7

4 5×0.8

5 7×0.26

6 20×0.45

7 9×0.27

※ 계산해 보세요.

8 3×0.8

9 15×0.4

10 9×0.5

11 30×0.9

12 11×0.15

13 6×0.28

14 18×0.54

15 25×0.36

(자연수)×(소수)(2)

✹ 보기 와 같은 방법으로 계산하려고 합니다. □ 안에 알맞은 수를 써넣으세요.

보기

$$2 \times 12 = 24$$
$$\downarrow \frac{1}{10}배 \qquad \downarrow \frac{1}{10}배$$
$$2 \times 1.2 = 2.4$$

1 $3 \times 27 = \boxed{}$
$$\downarrow \frac{1}{10}배 \qquad \downarrow \frac{1}{10}배$$
$3 \times 2.7 = \boxed{}$

2 $5 \times 34 = \boxed{}$
$$\downarrow \frac{1}{10}배 \qquad \downarrow \frac{1}{10}배$$
$5 \times 3.4 = \boxed{}$

3 $6 \times 563 = \boxed{}$
$$\downarrow \frac{1}{100}배 \qquad \downarrow \frac{1}{100}배$$
$6 \times 5.63 = \boxed{}$

4 $9 \times 418 = \boxed{}$
$$\downarrow \frac{1}{100}배 \qquad \downarrow \frac{1}{100}배$$
$9 \times 4.18 = \boxed{}$

✹ 계산해 보세요.

5 2×1.9

6 5×3.7

7 8×6.3

8 12×7.2

9 4×3.16

10 3×4.87

11 20×2.49

12 32×5.35

❋ **보기** 와 같은 방법으로 계산해 보세요.

> **보기**
>
> $$0.3 \times 0.2 = \frac{3}{10} \times \frac{2}{10} = \frac{6}{100} = 0.06$$

1 0.2×0.5

2 0.7×0.4

3 0.6×0.9

4 0.3×0.14

5 0.8×0.52

6 0.28×0.7

7 0.33×0.19

❋ **보기** 와 같은 방법으로 계산하려고 합니다. ☐ 안에 알맞은 수를 써넣으세요.

> **보기**
>
> | 2 | × | 8 | = | 16 |
> |---|---|---|---|---|
> | $\frac{1}{10}$배 | | $\frac{1}{10}$배 | | $\frac{1}{100}$배 |
> | 0.2 | × | 0.8 | = | 0.16 |

8

5	×	7	=	☐
$\frac{1}{10}$배		$\frac{1}{10}$배		$\frac{1}{100}$배
0.5	×	0.7	=	☐

9

15	×	5	=	☐
$\frac{1}{100}$배		$\frac{1}{10}$배		$\frac{1}{1000}$배
0.15	×	0.5	=	☐

10

3	×	47	=	☐
$\frac{1}{10}$배		$\frac{1}{100}$배		$\frac{1}{1000}$배
0.3	×	0.47	=	☐

11

93	×	16	=	☐
$\frac{1}{100}$배		$\frac{1}{100}$배		$\frac{1}{10000}$배
0.93	×	0.16	=	☐

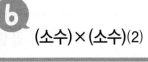

(소수)×(소수)(2)

✳ 계산해 보세요.

1 0.3×0.5

2 0.2×0.9

3 0.7×0.6

4 0.33×0.5

5 0.6×0.92

6 0.15×0.82

7 0.59×0.43

8 0.87×0.95

9
$$\begin{array}{r} 0.4 \\ \times\ 0.3 \\ \hline \end{array}$$

10
$$\begin{array}{r} 0.7 \\ \times\ 0.9 \\ \hline \end{array}$$

11
$$\begin{array}{r} 0.8 \\ \times\ 0.4 \\ \hline \end{array}$$

12
$$\begin{array}{r} 0.9 \\ \times\ 0.14 \\ \hline \end{array}$$

13
$$\begin{array}{r} 0.38 \\ \times\ 0.7 \\ \hline \end{array}$$

14
$$\begin{array}{r} 0.26 \\ \times\ 0.25 \\ \hline \end{array}$$

15
$$\begin{array}{r} 0.69 \\ \times\ 0.42 \\ \hline \end{array}$$

16
$$\begin{array}{r} 0.75 \\ \times\ 0.88 \\ \hline \end{array}$$

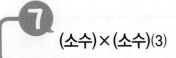 
✹ 계산해 보세요.

1 1.2×3.8

2 4.3×2.9

3 10.3×3.5

4 2.24×5.4

5 1.98×3.7

6 3.6×9.03

7 21.6×1.84

8 5.83×6.91

9
$$\begin{array}{r} 1.3 \\ \times\, 5.8 \\ \hline \end{array}$$

10
$$\begin{array}{r} 7.7 \\ \times\, 8.5 \\ \hline \end{array}$$

11
$$\begin{array}{r} 14.2 \\ \times\quad 5.5 \\ \hline \end{array}$$

12
$$\begin{array}{r} 3.2 \\ \times\, 1.0\,6 \\ \hline \end{array}$$

13
$$\begin{array}{r} 6.9 \\ \times\, 2.3\,5 \\ \hline \end{array}$$

14
$$\begin{array}{r} 6.1\,3 \\ \times\quad 2.7 \\ \hline \end{array}$$

15
$$\begin{array}{r} 1.0\,7 \\ \times\, 5.7\,6 \\ \hline \end{array}$$

16
$$\begin{array}{r} 6.5\,3 \\ \times\, 4.3\,8 \\ \hline \end{array}$$

✳ 계산해 보세요.

1　0.25×1

　　0.25×10

　　0.25×100

　　0.25×1000

2　0.38×1

　　0.38×10

　　0.38×100

　　0.38×1000

3　1.76×1

　　1.76×10

　　1.76×100

　　1.76×1000

4　5.89×1

　　5.89×10

　　5.89×100

　　5.89×1000

5　2310×1

　　2310×0.1

　　2310×0.01

　　2310×0.001

6　543×1

　　543×0.1

　　543×0.01

　　543×0.001

7　64×1

　　64×0.1

　　64×0.01

　　64×0.001

8　9.6×1

　　9.6×0.1

　　9.6×0.01

　　9.6×0.001

🌸 주어진 식을 이용하여 식을 완성해 보세요.

1

$$3.5 \times 27 = 94.5$$

$$3.5 \times \boxed{} = 9450$$

$$\boxed{} \times 27 = 0.945$$

2

$$7.8 \times 69 = 538.2$$

$$7.8 \times \boxed{} = 5382$$

$$\boxed{} \times 69 = 53.82$$

3

$$513 \times 48 = 24624$$

$$5.13 \times \boxed{} = 2.4624$$

$$\boxed{} \times 4800 = 2462.4$$

4

$$671 \times 26 = 17446$$

$$6.71 \times \boxed{} = 1.7446$$

$$\boxed{} \times 260 = 174.46$$

5

$$38 \times 15.9 = 604.2$$

$$0.38 \times \boxed{} = 60.42$$

$$\boxed{} \times 1590 = 6042$$

6

$$47 \times 29.3 = 1377.1$$

$$4.7 \times \boxed{} = 13771$$

$$\boxed{} \times 293 = 13.771$$

7

$$302 \times 81 = 24462$$

$$\boxed{} \times 0.81 = 2.4462$$

$$30.2 \times \boxed{} = 244.62$$

8

$$834 \times 28 = 23352$$

$$\boxed{} \times 0.028 = 0.23352$$

$$0.834 \times \boxed{} = 2.3352$$

5 직육면체

학습 내용	학습한 날짜	맞힌 문제 수
1. 직사각형 6개로 둘러싸인 도형 알아보기	월 일	/ 12
2. 정사각형 6개로 둘러싸인 도형 알아보기	월 일	/ 11
3. 직육면체의 성질 알아보기	월 일	/ 9
4. 직육면체의 겨냥도 알아보기	월 일	/ 8
5. 정육면체의 전개도 알아보기(1)	월 일	/ 8
6. 정육면체의 전개도 알아보기(2)	월 일	/ 8
7. 직육면체의 전개도 알아보기	월 일	/ 4

✸ 직육면체인 것에 ○표, 직육면체가 <u>아닌</u> 것에 ×표 하세요.

1

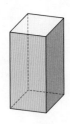

(   )

2

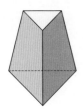

(   )

3

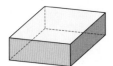

(   )

4

(   )

5

(   )

✸ 직육면체에 대한 설명입니다. ☐ 안에 알맞은 수나 말을 써넣으세요.

6 직육면체에서 선분으로 둘러싸인 부분을 ☐ (이)라고 합니다.

7 직육면체에서 면과 면이 만나는 선분을 ☐ (이)라고 합니다.

8 직육면체에서 모서리와 모서리가 만나는 점을 ☐ (이)라고 합니다.

9 직육면체의 면은 ☐ 개입니다.

10 직육면체의 모서리는 ☐ 개입니다.

11 직육면체의 꼭짓점은 ☐ 개입니다.

12 오른쪽 직육면체를 보고 빈 칸에 알맞은 수를 써넣으세요.

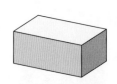

보이는 면의 수(개)	보이는 모서리의 수(개)	보이는 꼭짓점의 수(개)

❋ 정육면체인 것에 ○표, 정육면체가 <u>아닌</u> 것에 ×표 하세요.

1

(   )

2

(   )

3

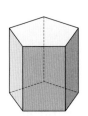

(   )

4

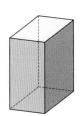

(   )

5

(   )

❋ 정육면체에 대한 설명으로 옳으면 ○표, 틀리면 × 표 하세요.

6 정육면체의 모든 면은 정사각형입니다.

(   )

7 정육면체의 모서리는 8개입니다.

(   )

8 정육면체는 모서리의 길이가 모두 같습니다.

(   )

9 정육면체는 직육면체라고 할 수 없습니다.

(   )

10 정육면체의 꼭짓점은 8개입니다.

(   )

11 오른쪽 정육면체를 보고 빈칸에 알맞은 수를 써넣으세요.

보이지 않는 면의 수(개)	보이지 않는 모서리의 수(개)	보이지 않는 꼭짓점의 수(개)

❀ 직육면체에서 색칠한 면과 평행한 면을 찾아 색칠해 보세요.

1

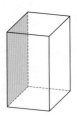

2

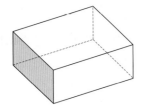

3

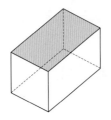

4

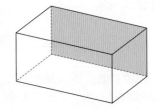

❀ 직육면체를 보고 물음에 답하세요.

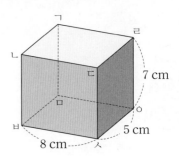

5 꼭짓점 ㄱ에서 만나는 면을 모두 찾아 써 보세요.

(   )

6 면 ㄷㅅㅇㄹ과 평행한 면을 찾아 써 보세요.

(   )

7 면 ㄱㄴㄷㄹ과 수직인 면을 모두 찾아 써 보세요.

(   )

8 면 ㄴㅂㅁㄱ과 수직인 면을 모두 찾아 써 보세요.

(   )

9 면 ㄴㅂㅅㄷ과 평행한 면의 모서리 길이의 합은 몇 cm인가요?

(   )

✴ 직육면체의 겨냥도를 바르게 그린 것에 ○표, 잘못 그린 것에 ×표 하세요.

1

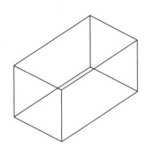

(   )

2

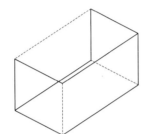

(   )

3

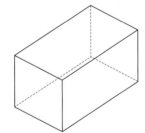

(   )

4

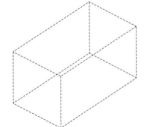

(   )

✴ 그림에서 빠진 부분을 그려 넣어 직육면체의 겨냥도를 완성해 보세요.

5

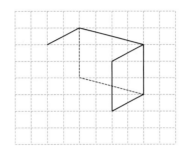

6

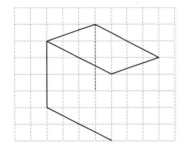

7

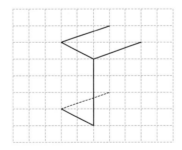

8

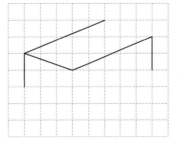

❋ 정육면체의 전개도인 것에 ○표, 정육면체의 전개도가 <u>아닌</u> 것에 ×표 하세요.

1

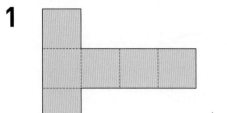

(   )

❋ 전개도를 접어서 정육면체를 만들었습니다. 색칠한 면과 평행한 면을 찾아 써 보세요.

5

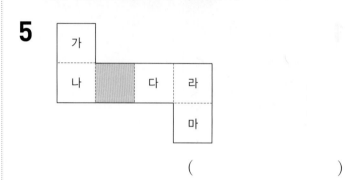

(   )

2

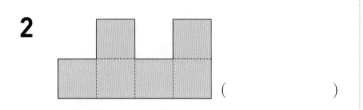

(   )

6

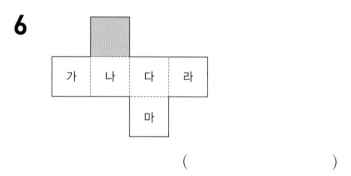

(   )

3

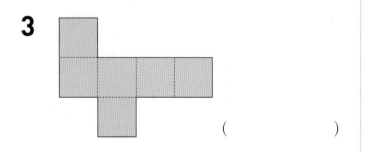

(   )

7

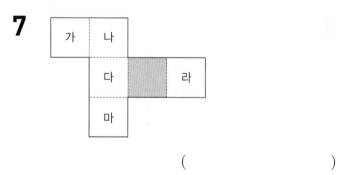

(   )

4

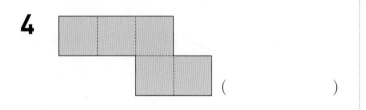

(   )

8

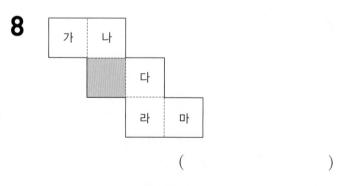

(   )

정육면체의 전개도 알아보기(2)

❋ 전개도를 접어서 정육면체를 만들었습니다. 색칠한 면과 수직인 면을 모두 찾아 써 보세요.

1

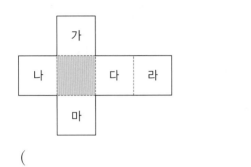

(   )

2

가 나
　다 라 마

(   )

3

가
나 다 라 마

(   )

4

가 나
　다 라
　　마

(   )

❋ 전개도를 접어서 정육면체를 만들었습니다. 물음에 답하세요.

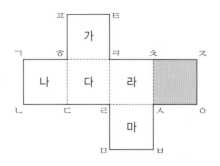

5 색칠한 면과 마주 보는 면을 찾아 써 보세요.

(   )

6 색칠한 면과 수직인 면을 모두 찾아 써 보세요.

(   )

7 선분 ㄷㄹ과 겹치는 선분을 찾아 써 보세요.

(   )

8 선분 ㅈㅇ과 겹치는 선분을 찾아 써 보세요.

(   )

직육면체의 전개도를 그린 것입니다. ☐ 안에 알맞은 수를 써넣으세요.

1

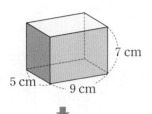

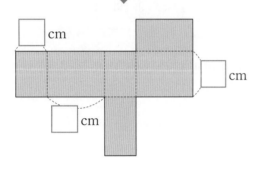

2

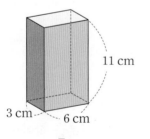

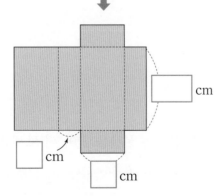

직육면체를 보고 전개도를 완성해 보세요.

3

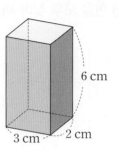

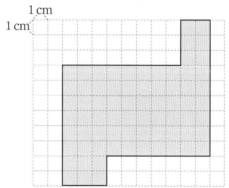

4

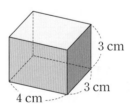

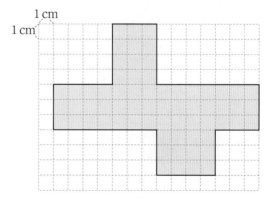

6 평균과 가능성

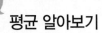

❋ 어느 지역의 4일 동안의 하루 최고 기온을 나타낸 표입니다. 물음에 답하세요.

하루 최고 기온

요일	월	화	수	목
최고 기온(℃)	31	30	29	30

1 대표적으로 하루 최고 기온은 몇 ℃라고 말할 수 있나요?

( )

2 □ 안에 알맞은 수를 써넣으세요.

4일 동안 하루 최고 기온은 평균 □ ℃입니다.

❋ 은지의 과목별 단원 평가 점수를 나타낸 표입니다. 물음에 답하세요.

은지의 과목별 단원 평가 점수

과목	국어	수학	과학	사회
점수(점)	80	78	80	82

3 대표적으로 한 과목의 단원 평가 점수는 몇 점이라고 말할 수 있나요?

( )

4 □ 안에 알맞은 수를 써넣으세요.

한 과목의 단원 평가 점수는 평균 □ 점입니다.

5 준형이네 모둠과 유경이네 모둠의 100 m 달리기 기록을 나타낸 표입니다. 준형이네 모둠과 유경이네 모둠의 100 m 달리기 기록의 평균은 각각 몇 초인가요?

준형이네 모둠의 100 m 달리기 기록

이름	준형	아름	민우	보라
기록(초)	18	19	20	19

유경이네 모둠의 100 m 달리기 기록

이름	유경	기준	서형	준수	영우
기록(초)	19	17	18	17	19

준형이네 모둠 ( )
유경이네 모둠 ( )

❋ 진우네 학교 5학년 반별 학생 수와 승아네 학교 5학년 반별 학생 수를 나타낸 표입니다. 물음에 답하세요.

진우네 학교 5학년 반별 학생 수

학급(반)	인	의	예	지
학생 수(명)	25	23	27	25

승아네 학교 5학년 반별 학생 수

학급(반)	인	의	예	지	신
학생 수(명)	25	22	24	25	24

6 진우네 학교와 승아네 학교의 5학년 반별 학생 수의 평균은 각각 몇 명인가요?

진우네 학교 ( )
승아네 학교 ( )

7 어느 학교 5학년이 반별 학생 수가 더 많다고 볼 수 있나요?

( )

☀ **보기** 와 같은 방법으로 주어진 자료의 평균을 구하려고 합니다. ☐ 안에 알맞은 수를 써넣으세요.

보기

과수원별 사과 생산량

과수원	가	나	다	라
생산량(상자)	180	170	190	180

예상한 평균: 180상자

평균을 180상자로 예상한 후

(180, 180), (170, 190)으로 수를 옮기고 짝 지어 자료의 값을 고르게 하여 구한 과수원별 사과 생산량의 평균은 180상자입니다.

1

기준이네 모둠의 윗몸 말아 올리기 기록

이름	기준	아영	경민	보민
기록(회)	46	48	46	44

예상한 평균: ☐ 회

평균을 46회로 예상한 후

(☐, ☐), (48, ☐)(으)로 수를 옮기고 짝 지어 자료의 값을 고르게 하여 구한 기준이네 모둠의 윗몸 말아 올리기 기록의 평균은 ☐ 회입니다.

2

영아네 모둠이 방학 동안 읽은 책의 수

이름	영아	승민	수현	경준
책의 수(권)	3	6	7	4

예상한 평균: ☐ 권

평균을 5권으로 예상한 후

(3, ☐), (☐, ☐)(으)로 수를 옮기고 짝 지어 자료의 값을 고르게 하여 구한 영아네 모둠이 방학 동안 읽은 책의 수의 평균은 ☐ 권입니다.

3

미수네 모둠의 키

이름	미수	정민	혁후	세준	한영
키(cm)	148	150	152	151	149

예상한 평균: ☐ cm

평균을 150 cm로 예상한 후

☐, (☐, ☐), (151, ☐)(으)로 수를 옮기고 짝 지어 자료의 값을 고르게 하여 구한 미수네 모둠의 키의 평균은 ☐ cm입니다.

✱ **보기** 와 같은 방법으로 주어진 자료의 평균을 구해 보세요.

보기

수박별 무게

수박	가	나	다	라
무게(kg)	10	12	11	11

(평균)=(10+12+11+11)÷4
　　　　=44÷4=11(kg)

1 주호네 모둠의 제기차기 기록

이름	주호	유영	진호	현중
기록(개)	8	5	3	4

(평균)= _____

_____

2 수빈이네 모둠의 키

이름	수빈	준수	효빈	민수
키(cm)	136	153	147	148

(평균)= _____

_____

3 성원이의 수학 단원 평가 점수

단원	1	2	3	4	5
점수(점)	90	82	90	88	80

(평균)= _____

_____

4 성아네 모둠의 가족 수

이름	성아	준우	하늘	태환	우진
가족 수(명)	5	3	3	4	5

(평균)= _____

_____

5 주머니 안에 들어 있는 구슬 수

주머니	가	나	다	라	마	바
구슬 수(개)	9	4	8	3	7	5

(평균)= _____

_____

6 은영이네 모둠의 줄넘기 기록

이름	은영	모현	성규	기영
기록(회)	65	84	89	78

(평균)= _____

_____

7 영준이의 오래 매달리기 기록

요일	월	화	수	목	금
기록(초)	16	15	12	14	13

(평균)= _____

_____

✹ 준서네 반에서 미술 시간에 사용할 구슬이 160개 있습니다. 물음에 답하세요.

모둠별 학생 수

모둠	모둠 1	모둠 2	모둠 3	모둠 4
학생 수(명)	5	5	4	6

1 한 모둠당 사용할 구슬은 몇 개인가요?

(   )

2 한 모둠당 학생 수는 평균 몇 명인가요?

(   )

3 한 명당 사용할 구슬은 평균 몇 개인가요?

(   )

✹ 유정이네 학교 5학년 학생들이 모은 폐휴지는 360 kg이라고 합니다. 물음에 답하세요.

학급별 학생 수

학급(반)	인	의	예	지	신
학생 수(명)	23	24	25	27	21

4 한 학급당 모은 폐휴지는 평균 몇 kg인가요?

(   )

5 한 학급당 학생 수는 평균 몇 명인가요?

(   )

6 한 명당 모은 폐휴지는 평균 몇 kg인가요?

(   )

✹ 주어진 자료의 평균이 다음과 같을 때 표를 완성해 보세요.

7

과수원별 귤 생산량의 평균: 220 kg

과수원별 귤 생산량

과수원	가	나	다	라
생산량(kg)	200		190	220

8

학급별 안경을 쓴 학생 수의 평균: 7명

학급별 안경을 쓴 학생 수

학급(반)	인	의	예	지
학생 수(명)	10		7	6

9

윤하네 모둠의 50 m 달리기 기록의 평균: 8초

윤하네 모둠의 50 m 달리기 기록

이름	윤하	철우	찬솔	윤화	미진
기록(초)	7	8	9	9	

10

정우네 모둠의 하루 독서 시간의 평균: 48분

정우네 모둠의 하루 독서 시간

이름	정우	영진	지영	미호
독서 시간(분)		60	50	40

✳ 일이 일어날 가능성을 생각해 보고, **보기** 에서 알맞은 말을 찾아 써 보세요.

보기
불가능하다   ~아닐 것 같다   반반이다
~일 것 같다   확실하다

1 내일 아침에 서쪽에서 해가 뜰 것입니다.

(   )

2 내년 12월 30일 다음 날은 1월 1일일 것입니다.

(   )

3 동전을 두 번 던지면 두 번 모두 그림 면이 나올 것입니다.

(   )

4 동전을 던지면 숫자 면이 나올 것입니다.

(   )

5 공룡이 학교 운동장에 나타날 것입니다.

(   )

6 상자 안에 들어 있는 1부터 10까지의 번호표 중에서 뽑은 번호표가 홀수일 것입니다.

(   )

7 빨간색 공만 2개 들어 있는 상자에서 꺼낸 공은 빨간색일 것입니다.

(   )

8 내년 10월에는 마지막 주 내내 눈이 올 것입니다.

(   )

9 주사위를 굴리면 주사위 눈의 수가 5 이하로 나올 것입니다.

(   )

10 3과 4를 더하면 7이 될 것입니다.

(   )

11 오늘은 금요일이니까 내일은 토요일일 것입니다.

(   )

일이 일어날 가능성을 비교하기

❋ 일이 일어날 가능성이 더 높은 것의 기호를 써 보세요.

1

> ㉠ 지금은 오후 6시니까 1시간 후에는 7시가 될 것입니다.
> ㉡ ○× 문제에서 ○라고 답하면 정답일 것입니다.

( )

2

> ㉠ 노란색 구슬만 2개 들어 있는 주머니에서 꺼낸 구슬은 파란색일 것입니다.
> ㉡ 내년 12월에는 긴팔을 입은 사람이 반팔을 입은 사람보다 많을 것입니다.

( )

❋ 회전판에서 화살이 회색에 멈출 가능성이 더 높은 것의 기호를 써 보세요.

3

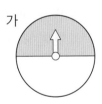

( )

4

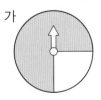
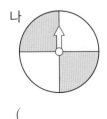

( )

❋ 일이 일어날 가능성을 비교해 보세요.

> ㉠ 4와 8을 곱하면 12가 될 것입니다.
> ㉡ 3달 뒤 태어날 내 동생은 남자일 것입니다.
> ㉢ 내년 10월 달력에는 날짜가 32일까지 있을 것입니다.
> ㉣ 올해 4학년인 내 동생은 내년 3월에 5학년이 될 것입니다.
> ㉤ 동전을 세 번 던지면 세 번 모두 숫자 면이 나올 것입니다.
> ㉥ 주사위를 굴리면 주사위 눈의 수가 2 이상으로 나올 것입니다.

5 일이 일어날 가능성이 '불가능하다'인 경우를 모두 찾아 기호를 써 보세요.

( )

6 **5**에서 답한 상황을 일이 일어날 가능성이 '확실하다'가 되도록 모두 바꿔 보세요.

_____

_____

_____

_____

7 일이 일어날 가능성이 가장 높은 것을 찾아 기호를 써 보세요.

( )

8 일이 일어날 가능성이 ㉡보다 높은 것을 모두 찾아 기호를 써 보세요.

( )

❋ 회전판 돌리기를 하고 있습니다. 일이 일어날 가능성이 '불가능하다'이면 0, '반반이다'이면 $\frac{1}{2}$, '확실하다'이면 1로 표현할 때, 물음에 답하세요.

 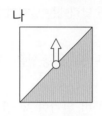 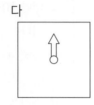

가　나　다

1 회전판 가에서 화살이 흰색에 멈출 가능성에 ↓로 나타내어 보세요.

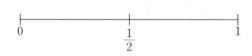

2 회전판 나에서 화살이 회색에 멈출 가능성에 ↓로 나타내어 보세요.

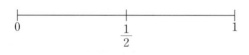

3 회전판 다에서 화살이 흰색에 멈출 가능성에 ↓로 나타내어 보세요.

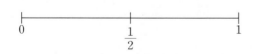

4 흰색 공 1개, 검은색 공 1개가 들어 있는 주머니에서 공 1개를 꺼낼 때, 꺼낸 공이 흰색일 가능성을 말과 수로 표현해 보세요.

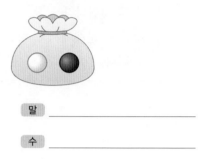

말 _____

수 _____

5 단팥빵만 2개 들어 있는 상자에서 빵 1개를 꺼낼 때, 꺼낸 빵이 크림빵일 가능성을 말과 수로 표현해 보세요.

말 _____

수 _____

6 바나나 맛 우유만 4개 들어 있는 냉장고에서 우유 1개를 꺼낼 때, 꺼낸 우유가 바나나 맛 우유일 가능성을 말과 수로 표현해 보세요.

말 _____

수 _____

7 1부터 20까지의 수가 각각 적힌 카드에서 1장을 뽑을 때, 뽑은 카드에 적힌 수가 짝수일 가능성을 말과 수로 표현해 보세요.

말 _____

수 _____

정답

★ 수의 범위와 어림하기

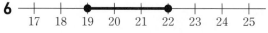

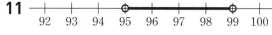

8 반올림 알아보기   11쪽

1 170, 200   **2** 340, 300
3 5860, 5900, 6000   **4** 8910, 8900, 9000
5 2.7, 2.74   **6** 5.3, 5.28
7 420, >, 400   **8** 700, >, 670
9 1000, <, 1170   **10** 5200, >, 5000

9 올림, 버림, 반올림을 활용하여 문제 해결하기   12쪽

1 30, 2, 4   **2** 300권   **3** 6대
4 32000원   **5** 42상자   **6** 55 kg
7 9, 9, 9, 11, 10   **8** 43200명

② 분수의 곱셈

I (분수)×(자연수)(1)   14쪽

1 방법1 $\dfrac{5}{8}\times 2=\dfrac{5\times 2}{8}=\dfrac{\overset{5}{\cancel{10}}}{\underset{4}{\cancel{8}}}=\dfrac{5}{4}=1\dfrac{1}{4}$

방법2 $\dfrac{5}{8}\times 2=\dfrac{5\times \overset{1}{\cancel{2}}}{\underset{4}{\cancel{8}}}=\dfrac{5}{4}=1\dfrac{1}{4}$

방법3 $\dfrac{5}{\underset{4}{\cancel{8}}}\times \overset{1}{\cancel{2}}=\dfrac{5}{4}=1\dfrac{1}{4}$

2 방법1 $\dfrac{2}{9}\times 6=\dfrac{2\times 6}{9}=\dfrac{\overset{4}{\cancel{12}}}{\underset{3}{\cancel{9}}}=\dfrac{4}{3}=1\dfrac{1}{3}$

방법2 $\dfrac{2}{9}\times 6=\dfrac{2\times \overset{2}{\cancel{6}}}{\underset{3}{\cancel{9}}}=\dfrac{4}{3}=1\dfrac{1}{3}$

방법3 $\dfrac{2}{\underset{3}{\cancel{9}}}\times \overset{2}{\cancel{6}}=\dfrac{4}{3}=1\dfrac{1}{3}$

3 방법1 $\dfrac{11}{15}\times 5=\dfrac{11\times 5}{15}=\dfrac{\overset{11}{\cancel{55}}}{\underset{3}{\cancel{15}}}=\dfrac{11}{3}=3\dfrac{2}{3}$

방법2 $\dfrac{11}{15}\times 5=\dfrac{11\times \overset{1}{\cancel{5}}}{\underset{3}{\cancel{15}}}=\dfrac{11}{3}=3\dfrac{2}{3}$

방법3 $\dfrac{11}{\underset{3}{\cancel{15}}}\times \overset{1}{\cancel{5}}=\dfrac{11}{3}=3\dfrac{2}{3}$

4 $4\dfrac{1}{2}$ **5** $3\dfrac{3}{4}$ **6** $4\dfrac{1}{3}$ **7** $2\dfrac{11}{12}$
8 $1\dfrac{3}{5}$ **9** $1\dfrac{1}{4}$ **10** $10\dfrac{4}{5}$ **11** $4\dfrac{2}{9}$

2 (분수)×(자연수)(2)   15쪽

1 방법1 $1\dfrac{1}{2}\times 3=\dfrac{3}{2}\times 3=\dfrac{3\times 3}{2}=\dfrac{9}{2}=4\dfrac{1}{2}$

방법2 $1\dfrac{1}{2}\times 3=(1\times 3)+\left(\dfrac{1}{2}\times 3\right)$
$\qquad =3+\dfrac{3}{2}=3+1\dfrac{1}{2}=4\dfrac{1}{2}$

2 방법1 $2\dfrac{1}{6}\times 8=\dfrac{13}{6}\times 8=\dfrac{13\times \overset{4}{\cancel{8}}}{\underset{3}{\cancel{6}}}=\dfrac{52}{3}=17\dfrac{1}{3}$

방법2 $2\dfrac{1}{6}\times 8=(2\times 8)+\left(\dfrac{1}{\underset{3}{\cancel{6}}}\times \overset{4}{\cancel{8}}\right)$
$\qquad =16+\dfrac{4}{3}=16+1\dfrac{1}{3}=17\dfrac{1}{3}$

3 방법1 $3\dfrac{3}{8}\times 6=\dfrac{27}{8}\times 6=\dfrac{27\times \overset{3}{\cancel{6}}}{\underset{4}{\cancel{8}}}=\dfrac{81}{4}=20\dfrac{1}{4}$

방법2 $3\dfrac{3}{8}\times 6=(3\times 6)+\left(\dfrac{3}{\underset{4}{\cancel{8}}}\times \overset{3}{\cancel{6}}\right)$
$\qquad =18+\dfrac{9}{4}=18+2\dfrac{1}{4}=20\dfrac{1}{4}$

4 $4\dfrac{4}{5}$ **5** $13\dfrac{1}{3}$ **6** $14\dfrac{2}{9}$ **7** $42\dfrac{1}{2}$
8 $7\dfrac{1}{3}$ **9** $21\dfrac{1}{3}$ **10** $18\dfrac{3}{8}$ **11** $32\dfrac{2}{3}$

3 (자연수)×(분수)(1)   16쪽

1 방법1 $2\times \dfrac{3}{4}=\dfrac{2\times 3}{4}=\dfrac{\overset{3}{\cancel{6}}}{\underset{2}{\cancel{4}}}=\dfrac{3}{2}=1\dfrac{1}{2}$

방법2 $2\times \dfrac{3}{4}=\dfrac{\overset{1}{\cancel{2}}\times 3}{\underset{2}{\cancel{4}}}=\dfrac{3}{2}=1\dfrac{1}{2}$

방법3 $\overset{1}{\cancel{2}}\times \dfrac{3}{\underset{2}{\cancel{4}}}=\dfrac{3}{2}=1\dfrac{1}{2}$

2 방법1 $6 \times \dfrac{2}{3} = \dfrac{6 \times 2}{3} = \dfrac{\overset{4}{12}}{\underset{1}{3}} = 4$

방법2 $6 \times \dfrac{2}{3} = \dfrac{\overset{2}{6} \times 2}{\underset{1}{3}} = 4$

방법3 $\overset{2}{6} \times \dfrac{2}{\underset{1}{3}} = 4$

3 방법1 $4 \times \dfrac{9}{10} = \dfrac{4 \times 9}{10} = \dfrac{\overset{18}{36}}{\underset{5}{10}} = \dfrac{18}{5} = 3\dfrac{3}{5}$

방법2 $4 \times \dfrac{9}{10} = \dfrac{\overset{2}{4} \times 9}{\underset{5}{10}} = \dfrac{18}{5} = 3\dfrac{3}{5}$

방법3 $\overset{2}{4} \times \dfrac{9}{\underset{5}{10}} = \dfrac{18}{5} = 3\dfrac{3}{5}$

4 6   **5** 8   **6** $3\dfrac{3}{5}$ **7** $5\dfrac{1}{7}$

8 $3\dfrac{3}{10}$ **9** $10\dfrac{5}{8}$ **10** $9\dfrac{3}{4}$ **11** $7\dfrac{3}{5}$

---

4   (자연수)×(분수)(2)   17쪽

1 방법1 $2 \times 1\dfrac{1}{4} = 2 \times \dfrac{5}{4} = \dfrac{\overset{1}{2} \times 5}{\underset{2}{4}} = \dfrac{5}{2} = 2\dfrac{1}{2}$

방법2 $2 \times 1\dfrac{1}{4} = (2 \times 1) + \left(\overset{1}{2} \times \dfrac{1}{\underset{2}{4}}\right) = 2 + \dfrac{1}{2} = 2\dfrac{1}{2}$

2 방법1 $6 \times 2\dfrac{7}{9} = 6 \times \dfrac{25}{9} = \dfrac{\overset{2}{6} \times 25}{\underset{3}{9}} = \dfrac{50}{3} = 16\dfrac{2}{3}$

방법2 $6 \times 2\dfrac{7}{9} = (6 \times 2) + \left(\overset{2}{6} \times \dfrac{7}{\underset{3}{9}}\right)$
$= 12 + \dfrac{14}{3} = 12 + 4\dfrac{2}{3} = 16\dfrac{2}{3}$

3 방법1 $8 \times 2\dfrac{1}{10} = 8 \times \dfrac{21}{10} = \dfrac{\overset{4}{8} \times 21}{\underset{5}{10}} = \dfrac{84}{5} = 16\dfrac{4}{5}$

방법2 $8 \times 2\dfrac{1}{10} = (8 \times 2) + \left(\overset{4}{8} \times \dfrac{1}{\underset{5}{10}}\right)$
$= 16 + \dfrac{4}{5} = 16\dfrac{4}{5}$

---

4 $10\dfrac{2}{3}$ **5** $3\dfrac{6}{7}$ **6** $28\dfrac{1}{3}$ **7** $16\dfrac{1}{2}$

8 54   **9** $12\dfrac{4}{5}$ **10** $4\dfrac{3}{4}$ **11** $13\dfrac{2}{7}$

---

5   (진분수)×(진분수)(1)   18쪽

1 $\dfrac{1}{4}$ **2** $\dfrac{1}{10}$ **3** $\dfrac{1}{12}$ **4** $\dfrac{1}{42}$

5 $\dfrac{1}{72}$ **6** $\dfrac{1}{15}$ **7** $\dfrac{1}{63}$ **8** $\dfrac{1}{44}$

9 $\dfrac{3}{14}$ **10** $\dfrac{5}{18}$ **11** $\dfrac{3}{32}$ **12** $\dfrac{4}{45}$

13 $\dfrac{11}{84}$ **14** $\dfrac{3}{40}$ **15** $\dfrac{7}{60}$ **16** $\dfrac{5}{72}$

---

6   (진분수)×(진분수)(2)   19쪽

1 $\dfrac{4}{15}$ **2** $\dfrac{5}{8}$ **3** $\dfrac{6}{35}$ **4** $\dfrac{5}{18}$

5 $\dfrac{2}{3}$ **6** $\dfrac{2}{21}$ **7** $\dfrac{7}{20}$ **8** $\dfrac{2}{33}$

9 $\dfrac{7}{15}$ **10** $\dfrac{21}{25}$ **11** $\dfrac{3}{4}$ **12** $\dfrac{2}{9}$

13 $\dfrac{9}{26}$ **14** $\dfrac{3}{10}$ **15** $\dfrac{17}{33}$ **16** $\dfrac{15}{68}$

---

7   (진분수)×(진분수)(3)   20쪽

1 $\dfrac{1}{16}$ **2** $\dfrac{16}{21}$ **3** $\dfrac{2}{45}, \dfrac{4}{99}$

4 $\dfrac{1}{5}, \dfrac{3}{20}$ **5** $\dfrac{7}{18}, \dfrac{14}{39}$ **6** >

7 <   **8** <   **9** >   **10** >

11 <   **12** >   **13** <

---

8   여러 가지 분수의 곱셈(1)   21쪽

1 $2\dfrac{5}{8}$ **2** $3\dfrac{3}{4}$ **3** $5\dfrac{1}{5}$ **4** $5\dfrac{3}{28}$

5 $2\dfrac{3}{8}$ **6** $10\dfrac{7}{8}$ **7** $33\dfrac{1}{3}$ **8** $14\dfrac{2}{3}$

9 $\dfrac{1}{30}$ **10** $\dfrac{2}{7}$ **11** $\dfrac{1}{15}$ **12** $\dfrac{2}{35}$

13 $\dfrac{5}{18}$ **14** $\dfrac{14}{25}$ **15** $\dfrac{11}{64}$ **16** $\dfrac{7}{48}$

9 여러 가지 분수의 곱셈(2)
22쪽

1 $3, 3, \dfrac{9}{4}, 2\dfrac{1}{4}$ **2** $4, 4, \dfrac{8}{7}, 1\dfrac{1}{7}$

3 $2, 2, \dfrac{6}{5}, 1\dfrac{1}{5}$ **4** $5, 5, \dfrac{35}{8}, 4\dfrac{3}{8}$

5 $2, 2, \dfrac{10}{9}, 1\dfrac{1}{9}$ **6** $9, 9, \dfrac{45}{56}$

7 $13, 13, \dfrac{39}{20}, 1\dfrac{19}{20}$ **8** $3, 7, 3, 7, \dfrac{21}{10}, 2\dfrac{1}{10}$

9 $11, 11, 11, 11, \dfrac{121}{24}, 5\dfrac{1}{24}$

10 $13, 8, 13, 8, \dfrac{104}{35}, 2\dfrac{34}{35}$

③ 합동과 대칭

1 도형의 합동 알아보기
24쪽

1 나   **2** 가   **3** 다

4 예

5 예

6 예

7 예

2 합동인 도형의 성질 알아보기(1)
25쪽

1 (1) 점 ㅁ   (2) 변 ㄹㅁ   (3) 각 ㅁㄹㅂ

2 (1) 점 ㅅ   (2) 변 ㅂㅅ   (3) 각 ㅁㅇㅅ

3 (1) 점 ㅌ   (2) 변 ㅋㅊ   (3) 각 ㅈㅊㅋ

4 (1) 9 cm   (2) 11 cm   (3) 5 cm

5 (1) 3 cm   (2) 5 cm   (3) 8 cm

6 (1) 6 cm   (2) 5 cm   (3) 8 cm

3 합동인 도형의 성질 알아보기(2)
26쪽

1 (1) 75°   (2) 25°   (3) 80°

2 (1) 115°   (2) 80°   (3) 100°

3 (1) 140°   (2) 110°   (3) 85°

4 35 cm   **5** 43 cm   **6** 70°   **7** 85°

4 선대칭도형과 그 성질 알아보기(1)
27쪽

1 ○   **2** ×   **3** ×   **4** ○

5   **6**   **7**   **8**

5 선대칭도형과 그 성질 알아보기(2)
28쪽

1 (왼쪽에서부터) 95, 4, 2

2 (왼쪽에서부터) 75, 100, 8

3 (왼쪽에서부터) 90, 125, 11

4 (왼쪽에서부터) 8, 65, 10

5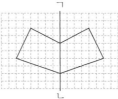

6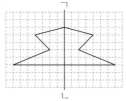

7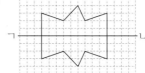

6 점대칭도형과 그 성질 알아보기(1)
29쪽

1 ○   **2** ×   **3** ×   **4** ○

5   **6**

7   **8**

7 점대칭도형과 그 성질 알아보기(2) 30쪽

1 (왼쪽에서부터) 12, 10, 120

2 (왼쪽에서부터) 5, 55

3 (왼쪽에서부터) 6, 70

4 (왼쪽에서부터) 110, 3

5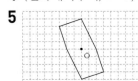

6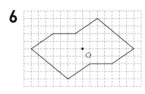

7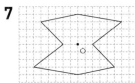

⭐4 소수의 곱셈

I (소수)×(자연수)(1) 32쪽

1 $0.2 \times 3 = \dfrac{2}{10} \times 3 = \dfrac{2 \times 3}{10} = \dfrac{6}{10} = 0.6$

2 $0.5 \times 7 = \dfrac{5}{10} \times 7 = \dfrac{5 \times 7}{10} = \dfrac{35}{10} = 3.5$

3 $0.4 \times 6 = \dfrac{4}{10} \times 6 = \dfrac{4 \times 6}{10} = \dfrac{24}{10} = 2.4$

4 $0.9 \times 8 = \dfrac{9}{10} \times 8 = \dfrac{9 \times 8}{10} = \dfrac{72}{10} = 7.2$

5 $0.12 \times 4 = \dfrac{12}{100} \times 4 = \dfrac{12 \times 4}{100} = \dfrac{48}{100} = 0.48$

6 $0.52 \times 7 = \dfrac{52}{100} \times 7 = \dfrac{52 \times 7}{100} = \dfrac{364}{100} = 3.64$

7 $0.65 \times 3 = \dfrac{65}{100} \times 3 = \dfrac{65 \times 3}{100} = \dfrac{195}{100} = 1.95$

8 1.2 **9** 4.2 **10** 6.4 **11** 6.3

12 0.48 **13** 0.76 **14** 3.76 **15** 3.65

2 (소수)×(자연수)(2) 33쪽

1 $2.7 \times 2 = \dfrac{27}{10} \times 2 = \dfrac{27 \times 2}{10} = \dfrac{54}{10} = 5.4$

2 $3.5 \times 9 = \dfrac{35}{10} \times 9 = \dfrac{35 \times 9}{10} = \dfrac{315}{10} = 31.5$

3 $5.4 \times 7 = \dfrac{54}{10} \times 7 = \dfrac{54 \times 7}{10} = \dfrac{378}{10} = 37.8$

4 $7.9 \times 5 = \dfrac{79}{10} \times 5 = \dfrac{79 \times 5}{10} = \dfrac{395}{10} = 39.5$

5 $1.15 \times 4 = \dfrac{115}{100} \times 4 = \dfrac{115 \times 4}{100} = \dfrac{460}{100} = 4.6$

6 $2.43 \times 3 = \dfrac{243}{100} \times 3 = \dfrac{243 \times 3}{100} = \dfrac{729}{100} = 7.29$

7 $5.38 \times 6 = \dfrac{538}{100} \times 6 = \dfrac{538 \times 6}{100} = \dfrac{3228}{100} = 32.28$

8 14.4 **9** 14.1 **10** 42.4 **11** 73.8

12 4.34 **13** 14.56 **14** 21.54 **15** 46.65

3 (자연수)×(소수)(1) 34쪽

1 $4 \times 0.5 = 4 \times \dfrac{5}{10} = \dfrac{4 \times 5}{10} = \dfrac{20}{10} = 2$

2 $6 \times 0.3 = 6 \times \dfrac{3}{10} = \dfrac{6 \times 3}{10} = \dfrac{18}{10} = 1.8$

3 $12 \times 0.7 = 12 \times \dfrac{7}{10} = \dfrac{12 \times 7}{10} = \dfrac{84}{10} = 8.4$

4 $5 \times 0.8 = 5 \times \dfrac{8}{10} = \dfrac{5 \times 8}{10} = \dfrac{40}{10} = 4$

5 $7 \times 0.26 = 7 \times \dfrac{26}{100} = \dfrac{7 \times 26}{100} = \dfrac{182}{100} = 1.82$

6 $20 \times 0.45 = 20 \times \dfrac{45}{100} = \dfrac{20 \times 45}{100} = \dfrac{900}{100} = 9$

7 $9 \times 0.27 = 9 \times \dfrac{27}{100} = \dfrac{9 \times 27}{100} = \dfrac{243}{100} = 2.43$

8 2.4 **9** 6 **10** 4.5 **11** 27

12 1.65 **13** 1.68 **14** 9.72 **15** 9

4 (자연수)×(소수)(2) 35쪽

1 81, 8.1 **2** 170, 17 **3** 3378, 33.78

4 3762, 37.62 **5** 3.8 **6** 18.5

7 50.4 **8** 86.4 **9** 12.64

10 14.61 **11** 49.8 **12** 171.2

5 (소수)×(소수)(1) 36쪽

1 $0.2 \times 0.5 = \dfrac{2}{10} \times \dfrac{5}{10} = \dfrac{10}{100} = 0.1$

2 $0.7 \times 0.4 = \dfrac{7}{10} \times \dfrac{4}{10} = \dfrac{28}{100} = 0.28$

3 $0.6 \times 0.9 = \dfrac{6}{10} \times \dfrac{9}{10} = \dfrac{54}{100} = 0.54$

4 $0.3 \times 0.14 = \dfrac{3}{10} \times \dfrac{14}{100} = \dfrac{42}{1000} = 0.042$

5 $0.8 \times 0.52 = \dfrac{8}{10} \times \dfrac{52}{100} = \dfrac{416}{1000} = 0.416$

6 $0.28 \times 0.7 = \dfrac{28}{100} \times \dfrac{7}{10} = \dfrac{196}{1000} = 0.196$

7 $0.33 \times 0.19 = \dfrac{33}{100} \times \dfrac{19}{100} = \dfrac{627}{10000} = 0.0627$

8 35, 0.35　　**9** 75, 0.075　　**10** 141, 0.141
11 1488, 0.1488

6 (소수)×(소수)(2) 37쪽

1 0.15　　**2** 0.18　　**3** 0.42　　**4** 0.165
5 0.552　　**6** 0.123　　**7** 0.2537　　**8** 0.8265
9 0.12　　**10** 0.63　　**11** 0.32　　**12** 0.126
13 0.266　　**14** 0.065　　**15** 0.2898　　**16** 0.66

7 (소수)×(소수)(3) 38쪽

1 4.56　　**2** 12.47　　**3** 36.05　　**4** 12.096
5 7.326　　**6** 32.508　　**7** 39.744　　**8** 40.2853
9 7.54　　**10** 65.45　　**11** 78.1　　**12** 3.392
13 16.215　　**14** 16.551　　**15** 6.1632　　**16** 28.6014

8 곱의 소수점 위치 알아보기(1) 39쪽

1 0.25, 2.5, 25, 250　　**2** 0.38, 3.8, 38, 380
3 1.76, 17.6, 176, 1760　　**4** 5.89, 58.9, 589, 5890
5 2310, 231, 23.1, 2.31　　**6** 543, 54.3, 5.43, 0.543
7 64, 6.4, 0.64, 0.064　　**8** 9.6, 0.96, 0.096, 0.0096

9 곱의 소수점 위치 알아보기(2) 40쪽

1 2700, 0.035　　**2** 690, 0.78　　**3** 0.48, 0.513
4 0.26, 0.671　　**5** 159, 3.8　　**6** 2930, 0.047
7 3.02, 8.1　　**8** 8.34, 2.8

⭐5 직육면체

1 직사각형 6개로 둘러싸인 도형 알아보기 42쪽

1 ○　　**2** ×　　**3** ○　　**4** ×
5 ×　　**6** 면　　**7** 모서리　　**8** 꼭짓점
9 6　　**10** 12　　**11** 8　　**12** 3, 9, 7

2 정사각형 6개로 둘러싸인 도형 알아보기 43쪽

1 ×　　**2** ○　　**3** ×　　**4** ×
5 ○　　**6** ○　　**7** ×　　**8** ○
9 ×　　**10** ○　　**11** 3, 3, 1

3 직육면체의 성질 알아보기 44쪽

1 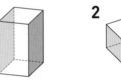　　**2** 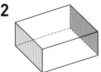　　**3**

4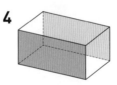

5 면 ㄱㄴㄷㄹ, 면 ㄱㄴㅂㅁ, 면 ㄱㅁㅇㄹ

6 면 ㄴㅂㅁㄱ

7 면 ㄴㅂㅁㄱ, 면 ㄴㅂㅅㄷ, 면 ㄷㅅㅇㄹ, 면 ㄱㅁㅇㄹ
8 면 ㄱㄴㄷㄹ, 면 ㄴㅂㅅㄷ, 면 ㅁㅂㅅㅇ, 면 ㄱㅁㅇㄹ
9 30 cm

4 직육면체의 겨냥도 알아보기 45쪽

1 ×　　**2** ×　　**3** ○　　**4** ×

5 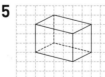　　**6**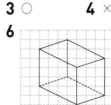

7 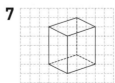　　**8**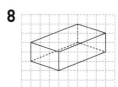

5 정육면체의 전개도 알아보기(1) 46쪽

1 ○   **2** ×   **3** ○   **4** ×
5 면 라   **6** 면 마   **7** 면 가   **8** 면 마

6 정육면체의 전개도 알아보기(2) 47쪽

1 면 가, 면 나, 면 다, 면 마 **2** 면 나, 면 다, 면 라, 면 마
3 면 나, 면 다, 면 라, 면 마 **4** 면 나, 면 다, 면 라, 면 마
5 면 다   **6** 면 가, 면 나, 면 라, 면 마
7 선분 ㅁㄹ   **8** 선분 ㄱㄴ

7 직육면체의 전개도 알아보기 48쪽

1 (왼쪽에서부터) 5, 9, 7   **2** (왼쪽에서부터) 3, 6, 11

3 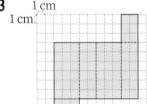   **4**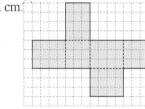

⑥ 평균과 가능성

1 평균 알아보기 50쪽

1 ⑩ 30 ℃   **2** 30   **3** ⑩ 80점   **4** 80
5 19초, 18초   **6** 25명, 24명   **7** 진우네 학교

2 평균 구하기(1) 51쪽

1 ⑩ 46, 46, 46, 44, 46   **2** ⑩ 5, 7, 6, 4, 5
3 ⑩ 150, 150, 148, 152, 149, 150

3 평균 구하기(2) 52쪽

1 $(8+5+3+4) \div 4 = 20 \div 4 = 5$(개)
2 $(136+153+147+148) \div 4 = 584 \div 4 = 146$ (cm)
3 $(90+82+90+88+80) \div 5 = 430 \div 5 = 86$(점)
4 $(5+3+3+4+5) \div 5 = 20 \div 5 = 4$(명)
5 $(9+4+8+3+7+5) \div 6 = 36 \div 6 = 6$(개)
6 $(65+84+89+78) \div 4 = 316 \div 4 = 79$(회)
7 $(16+15+12+14+13) \div 5 = 70 \div 5 = 14$(초)

4 평균 이용하기 53쪽

1 40개   **2** 5명   **3** 8개   **4** 72 kg
5 24명   **6** 3 kg   **7** 270   **8** 5
9 7   **10** 42

5 일이 일어날 가능성을 말로 표현하기 54쪽

1 불가능하다   **2** 불가능하다
3 ⑩ ~아닐 것 같다   **4** 반반이다
5 불가능하다   **6** 반반이다
7 확실하다   **8** ⑩ ~아닐 것 같다
9 ⑩ ~일 것 같다   **10** 확실하다
11 확실하다

6 일이 일어날 가능성을 비교하기 55쪽

1 ㉠   **2** ㉡   **3** 나
4 가   **5** ㉠, ㉢
6 ㉠ ⑩ 4와 8을 곱하면 32가 될 것입니다.
　㉡ ⑩ 내년 10월 달력에는 날짜가 31일까지 있을 것입니다.
7 ㉣   **8** ⑩ ㉣, ㉺

7 일이 일어날 가능성을 수로 표현하기 56쪽

1
2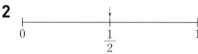
3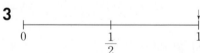

4 반반이다, $\frac{1}{2}$ **5** 불가능하다, 0
6 확실하다, 1   **7** 반반이다, $\frac{1}{2}$